这是我的书 It's MY BOOK 7级：400字

最好的小演员

作者：晓白（Xiao Bai）
插图：冰河插画（Bing He Design）

北京语言大学出版社
BEIJING LANGUAGE AND CULTURE UNIVERSITY PRESS

PHOENIX TREE
PHOENIX TREE PUBLISHING INC.

识读 街 擦鞋 喊 名片
钱 奖 试 满 室

句型 把……带过来

字数 416字

bā xī diàn yǐng zhōng yāng chē zhàn jiǎng de shì
巴西电影《中央车站》讲的是
yí wèi lǎo nǎi nai dài zhe xiǎo nán hái yuē shū yà xún
一位老奶奶带着小男孩约书亚寻
zhǎo tā fù qīn de gù shi wèi le pāi zhè bù diàn
找他父亲的故事。为了拍这部电
yǐng dǎo yǎn qù le hěn duō dì fang xún zhǎo yǎn yuē shū
影，导演去了很多地方寻找演约书
yà de xiǎo yǎn yuán kě shì yì zhí méi yǒu zhǎo dào
亚的小演员，可是一直没有找到。

yì tiān dǎo yǎn zǒu zài jiē shang tīng dào le yí
一天，导演走在街上，听到了一
gè xiǎo nán hái de shēng yīn xiān sheng nín de pí xié
个小男孩的声音：“先生，您的皮鞋
zāng le ràng wǒ gěi nín cā ca ba dǎo yǎn hěn máng
脏了，让我给您擦擦吧！”导演很忙，
shuō wǒ xiàn zài bù xiǎng cā pí xié kě shì tā gāng
说：“我现在不想擦皮鞋。”可是他刚
zǒu le jǐ bù yòu tīng dào nán hái hǎn le qi lai
走了几步，又听到男孩喊了起来。

xiān sheng wǒ yì tiān méi chī dōng xi le nín
“先生，我一天没吃东西了，您
néng bu néng jiè yì diǎnr qián gěi wǒ ràng wǒ mǎi kuài
能不能借一点儿钱给我，让我买块
miàn bāo děng wǒ cā xié zhèng le qián yí dìng huán gěi
面包？等我擦鞋挣了钱，一定还给
nín dǎo yǎn huí tóu kàn le kàn zhè ge nán hái zhè
您！”导演回头看了看这个男孩：“这
bú jiù shì wǒ yì zhí yào zhǎo de yuē shū yà ma
不就是我一直要找的约书亚吗？”

dǎo yǎn gěi le nán hái yì xiē qián yòu ná chu
导演给了男孩一些钱，又拿出
yì zhāng míng piàn qù mǎi miàn bāo ba zhè shì
一张名片："去买面包吧！这是
wǒ de míng piàn míng tiān nǐ dào wǒ de gōng zuò shì
我的名片。明天你到我的工作室
lái bú dàn yǒu fàn chī hái kě yǐ zhèng qián
来，不但有饭吃，还可以挣钱。"

dì èr tiān dǎo yǎn zǒu jin gōng zuò shì dà

第二天，导演走进工作室，大

chī yì jīng zěn me yǒu mǎn mǎn yì wū zi de rén

吃一惊：怎么有满满一屋子的人？

nà ge cā pí xié de xiǎo nán hái yíng shang lai gāo xìng

那个擦皮鞋的小男孩迎上来，高兴

de shuō xiān sheng wǒ bǎ wǒ de péng you dōu dài guo

地说：“先生，我把我的朋友都带过

lai le nín ràng wǒ men gàn shén me dōu xíng wǒ men

来了！您让我们干什么都行，我们

gè gè dōu hěn néng gàn

个个都很能干！”

suī rán yǒu jǐ gè nán hái gèng jī ling kě
虽然有几个男孩更机灵，可
shì dǎo yǎn hái shi xiǎng ràng zhè ge cā pí xié de xiǎo
是导演还是想让这个擦皮鞋的小
nán hái lái shì shi yīn wèi diàn yǐng zhōng de yuē shū
男孩来试试，因为电影中的约书
yà yǒu kē shàn liáng de xīn ér zhè ge nán hái zhèng
亚有颗善良的心，而这个男孩正
shì gè shàn liáng de hái zi
是个善良的孩子。

hòu lái zhōng yāng chē zhàn dà shòu huān yíng
后来，《中央车站》大受欢迎，
de le hěn duō guó jì dà jiǎng yǎn yuē shū yà de nán
得了很多国际大奖。演约书亚的男
hái chéng le bā xī rén xǐ ài de dà míng xīng tā jiù
孩成了巴西人喜爱的大明星，他就
shì wén ní xī sī dí ào lì wéi lā
是文尼西斯·狄·奥利维拉。

CENTRAL STATION

1 巴西电影《中央车站》讲的是一位老奶奶带着小男孩约书亚寻找他父亲的故事。为了拍这部电影，导演去了很多地方寻找演约书亚的小演员，可是一直没有找到。

2 一天，导演走在街上，听到了一个小男孩的声音：“先生，您的皮鞋脏了，让我给您擦擦吧！”导演很忙，说：“我现在不想擦皮鞋。”可是他刚走了几步，又听到男孩喊了起来。

3 “先生，我一天没吃东西了，您能不能借一点儿钱给我，让我买块面包？等我擦鞋挣了钱，一定还给您！”导演回头看了看这个男孩：“这不就是我一直要找的约书亚吗？”

4 导演给了男孩一些钱，又拿出一张名片：“去买面包吧！这是我的名片。明天你到我的工作室来，不但有饭吃，还可以挣钱。”

5 第二天，导演走进工作室，大吃一惊：怎么有满满一屋子的人？那个擦皮鞋的小男孩迎上来，高兴地说：“先生，我把我的朋友都带过来了！您让我们干什么都行，我们个个都很能干！”

6 虽然有几个男孩更机灵，可是导演还是想让这个擦皮鞋的小男孩来试试，因为电影中的约书亚有颗善良的心，而这个男孩正是个善良的孩子。

7 后来，《中央车站》大受欢迎，得了很多国际大奖。演约书亚的男孩成了巴西人喜爱的大明星，他就是文尼西斯•狄•奥利维拉。

1
2
3
4
5
6
CENTRAL STATION
7
CENTRAL STATION
看图讲故事